맛대맛 작가의 단골집 딱 100곳!

LOVE EAT

※ 경고 : 이곳에 소개된 맛집들은 지극히 개인적인 취향과 인연으로 단골이 된 집들이므로 그대의 마음에 영 안 찰 수도 있음을 알려드립니다.

1. 어머니 대성집 (선지해장국)

동대문구 용두2동 대광고등학교 근처

☎ 02-923-1718

선짓국이 산뜻하다면 믿으실라나? 정성스레
토렴해서 훌훌 먹기 딱 좋은 상태로 나온다. 아침과
저녁의 해장국 맛이 조금씩 다른 것이 이 집만의 노하우.

2. 이북손만두 (평양만두전골)

서울시청 뒤 코오롱빌딩 옆 편의점 골목

☎ 02-776-7350

쫄깃한 만두피의 위력으로 얼큰 수제비와 만두를
동시에 먹는 것 같은 재미가 있는 맛. 사골국에 칼칼한
양념장을 풀어 끓인 전골 국물이 개운하다.

3. 우래옥 (평양냉면)

을지로4가역 4번 출구로 나와 오른쪽 골목
☎ 02-2265-0151

구수한 메밀향이 아주 긴 여운을 남기는 순면.
면발만 놓고 보면 최고의 평양냉면집이 아닐까 싶은 곳.
불고기에 냉면 사리를 넣어 먹으면 그 맛이 또 일품.

4. 알라스카순대 (왕순대)

을지로3가역 5번 출구, 우체국 옆 골목 안
☎ 2266-1535

당면이 안 들어간 옛날 함경도식 순대의 포스.
일단 가게 분위기와 꼬릿한 냄새부터가 하드코어.
깔끔 떠는 분들께는 상당히 거북할 수도 있다.

5. 일류분식 (잔치국수와 분식)

남대문 메사 옆 포키아동복 근처

☎ 02-776-1946

22년 동안 한 솥에서 끓여낸 멸치육수의 흉내낼 수
없는 맛. 매콤하게 비벼내는 칼비빔면과 꼭 세트로
먹을 것. 작은 시장통 가게지만 해외 언론에도
자주 소개되는 곳.

6. 솔티노스 (이탈리아 요리들)

이태원 제일기획에서 이태원역으로 가는 길 중간,
소방서 옆

☎ 02-797-0488~9

롯데호텔 이태리식당에 있던 솔티노스 쉐프의 레스토랑.
정통 이탈리아 음식들을 변형되지 않은 맛으로
담아내는데, 특히 오일 파스타와 화덕피자는
가끔 꿈에도 나온다.

7. 삼청동수제비 (수제비와 감자전)

삼청동 총리공관 지나자마자
☎ 02-735-2965

대단히 뛰어난 맛이라기보다는 '삼청동' 과 '수제비' 의
조화로 느껴지는 이미지로 먹고 들어가는 집.
나불나불 얇게 밀어 뜯어낸 수제비와
감자의 함량이 높게 반죽해서 부쳐낸 감자전이
소박하면서도 맛있다.

8. 로마네꽁띠 (와인과 어울리는 요리)

삼청동 총리공관 맞은편 돌계단 위 한옥집
☎ 02-722-1633

강북지역 와인바의 1세대 대표주자.
한옥을 개조한 독특한 분위기와 저렴한 음식들.
특히 창밖으로 보이는 경치가 백만불짜리 안주.
세계 최고의 와인이라는 로마네콩띠 마실 날을 기원하며….

9. 눈나무집 (김치말이국수와 떡갈비)
삼청동 감사원 삼거리에서 오른쪽 골목
☎ 02-739-6742

맛도 가격도, 소박하다 못해 단순하다는 느낌까지.
맛에 대한 소감은 분분하지만 참 착한 가격으로
삼청동을 지키고 있는 터줏대감 같은 집.

10. 민가다헌 (와인과 창작요리)
인사동 경인미술관 가는 길 공영주차장 옆 한옥
☎ 02-733-2966

명성황후의 일가 후손인 민익두 대감의 개량한옥을
개조한 근사한 곳. 늘 새로운 아이디어가 가미된
창작요리가 있고, 그에 어울리는 와인이 있는 곳.
마당의 복숭아꽃이 피면 환상 그 자체.

11. 속초생태찌개 (생태찌개, 싱싱한 해산물)

광화문 프라자호텔 뒷골목 편의점 옆길 끝

☎ 02-753-8944

속초에서 공수해온 싱싱한 해산물들과 생태.
육수를 따로 내지 않고 끓여 시원한 생태 고유의
맛이 살아있다. 철따라 달라지는 해산물을 맛보는
재미도 있는 맛집.

12. 기꾸 (초밥과 히레사케)

동부이촌동 금강병원 맞은편

☎ 02-794-8584

진짜 복어 지느러미가 들어간 히레사케를 맛볼 수
있는 몇 안 되는 집. 초밥이야 뭐 두말할 필요가 없다.
아직 이 집을 대체할 대안을 못 찾았다.
그래서 슬프다.

13. 매화 (중국요리)

홍대입구역 4번 출구로 나와 수협 쪽으로 좌회전
☎ 02-332-0078

굴짬뽕과 볶음자장으로 행복해질 수 있는 곳.
면발은 평범하지만 재료를 아끼지 않고
팍팍 넣어 요리급으로 탄생.
기다리는 동안 탕수육도 한번 잡숴보시길.

14. 램랜드 (양갈비)

마포역 1번 출구로 나와 대농빌딩 옆길로 직진
☎ 02-704-0223

우리나라에서 먹을 수 있는 양고기들은 모두
냉동상태로 수입한 것. 해동방법에 따라 특유의 향이
조절되는데 그 실력이 뛰어난 집. 거슬리지 않고
은은하게 향이 깔리는 양갈비를 구워
특유의 밀쌈에 싸먹는다.

15. 굴다리식당 (김치찌개)

공덕역 8번 출구, 굴다리 부근

☎ 02-712-0066

생각만 해도 어금니 침샘에서 침이 쪽 나오는
진하고 강렬한 김치찌개. 김치찌개용 김치를 따로
담아 속성으로 시큼하게 익혀 끓이는 게 비법.
비계가 두툼하게 붙은 돼지고기도 제대로다.

16. 평양냉면 을밀대

마포 염리동사무소 근처

☎ 02-717-1922

서울에서 냉면 면발 좀 씹는다 하는 분들은 다들
아실 만한 냉면집. 예전 같진 않다고들 하지만 그래도
괜찮은 평양냉면. 밍밍하다 싶을 정도로 은은한
맛을 섬세하게 감상해보시길.

17. aA (Design Museum Cafe)

홍대 주차장 골목, 바이더웨이 바로 옆 골목으로
들어와 바로 우회전
☎ 02-3143-7312

말 그대로 모든 게 '예술' 인 공간. 조명,의자,테이블
하나하나가 모두 작품이다. 게다가 실력 좋은
파티쉐가 구워주는 빵, 과자도 뛰어나다. 파니니
샌드위치를 먹으며 명품 의자에 앉아 긴긴 수다를….

18. 어머니와 고등어 (가정식 백반)

홍대 주차장 골목, 바이더웨이 바로 옆 골목으로
들어와 바로 좌회전
☎ 02-337-0704

홍대에서 '집밥' 생각이 날 때 제일 만만하게
달려가는 곳. 조그만 가정집을 개조해 만든 실내가
편안하고 간고등어를 중심으로 깔리는 반찬들이
맛깔스럽다.

19. 하카다분코 (돈고츠라멘)

상수역에서 극동방송국 정문 바로 전 골목으로 우회전
☎ 02-338-5536

일본인 사장님과 스텝들이 만들어 내는 정통
돈고츠라멘. 돼지뼈를 푹 고아 진하다 못해 걸쭉한
라멘국물과 한 번에 두 그릇 이상 만들지 않는
고집으로 마니아층을 형성한 집.

20. 노루목곱창 (소곱창)

홍대 수노래방 대각선으로 있는 옷가게 골목 뒤편
☎ 02-336-4829

곱이 가득 든 고소한 소곱창과 막창구이. 함께 나오는
부추무침을 듬뿍 얹어 볶으면 더 맛있다.
테이블이 몇 개 안 되는 작은 곳이지만
걸쭉한 인심이 넘치는 곳.

21. 부산집 (꼼장어)

홍대입구역에서 청기와 주유소를
끼고 들어가 직진, 대로변
☎ 02-336-5523

너무 매운 양념은 꼼장어의 담백한 맛을 해치기
마련인데 그 맛의 궁합이 제대로인 집. 숯불에 직접
구워가며 먹는 맛도 일품. 추가 양념이 따로 나와
맛을 조절해가며 먹을 수 있다.

22. 사이공힐 (베트남음식)

홍대 주차장 골목, 조폭 떡볶이 근처 건물 2층
(대로에서 간판 보임)
☎ 02-323-4201

술을 좀 과하게 마신 다음날, 쌀국수에 숙주나물
듬뿍 넣어 먹곤 하는데, 이 집의 해물쌀국수는 최고의
해장능력을 가진 것 같다. 베트남식 튀김만두인
짜죠도 속이 알차게 들어가 아주 맛있다.

23. 불란서 (프랑스요리)

홍대 주차장 골목에서 당인리 발전소로
건너가기 전 오른쪽 골목 안
☎ 02-333-0106

화려한 이력을 가지고 있는 스타 쉐프 레오강의 손길.
그리 심하지 않은 가격으로 다양한 프랑스요리를
먹을 수 있다. 특히 런치 스페셜은 아주 착하게
서비스되므로 꼭 경험해보시길.

24. 천하 (이자카야)

홍대 삼거리포차에서 극동방송국 방향으로 가다가
첫 번째 횡단보도 옆 왼쪽 골목

이런 맛의 타코와사비를 서울에서 먹을 수 있다니!
일본식으로 조금씩 나오는 안주들은 정말 뭐 하나
빠지는 맛이 없다. 따끈한 사케 한 잔에 안주
하나씩 해치우다보면 어느새 새벽.

25. 한양곰치국 (곰치국과 과메기)
여의도 한나라당사 건물 지하 식당가
☎ 02-780-7894

동해안 사람들은 최고의 속풀이 음식으로 꼽는
곰치국. 마치 순두부처럼 말캉말캉한 곰치와
시큼한 김치로 끓여 새우젓으로 간을 한다.
특히 바닷물에 배추를 절여 담근 묵은 김치의
개운한 맛이 국물맛의 비밀.

26. 함흥냉면 (냉면과 만두)
영등포 경방필백화점 맞은편 먹자골목 내
☎ 02-2678-2722

질깃한 고구마전분 면발과 매콤한 양념에
간재미회 무침. 자극적인 맛이 생각날 때 들러볼 만한 곳.
배추소를 꼭꼭 채워 만든 왕만두는 매일 직접 만든다.

27. 대추나무집 (칼국수)
문래동 구 법원 앞 철공소 골목 내

점심장사만 한다. 메뉴는 오로지 칼국수 하나.
북어채와 바지락을 듬뿍 넣어 끓인 진한 국물 때문에
많은 양을 못 파신다고. 이것저것 양념을 많이 넣지
않고 담근 포기김치가 옛날 시골 맛을 낸다.

28. 문래동 원조마늘통닭 (마늘통닭과 닭똥집볶음)
문래동 구 법원 앞 대로변
☎ 02-2637-3480

튀김옷을 입히지 않고 튀긴 통닭에 아릿한 맛을
빼낸 마늘피클을 듬뿍 얹어준다. 도대체 생마늘을
어떻게 먹나 싶지만, 먹어보면 전혀 맵지 않고
오히려 개운한 맛. 갈아놓은 마늘의 매운 즙을
완전히 제거하는 것이 비법.

29. 피자알볼로 (수타피자)

☎ 02-2642-3023~4 (신정동, 목동 일대 배달 전문)

흑미로 만든 수제도우에 단호박을 갈아 만든
달콤한 퓨레가 들어간 단호박 흑미피자를 비롯해
온갖 건강재료를 응용한 피자가 많다. 국내 유명 피자
회사 출신의 형제가 이끄는 배달피자의 최고봉.

30. 춘천옥 (보쌈과 막국수)

가산동 디지털단지 내, 마리오 쇼핑몰 건너편
☎ 02-868-9937

이것저것 향신료를 넣지 않고 깔끔하게 삶아낸
수육에 돌돌 말아 길게 잘라 나오는 김치를 넣고
싸먹는 특이한 보쌈. 김치에 고기를 싸먹는
것과는 차원이 다른 돼지고기 수육이다.

31. 옥토버페스트 (하우스맥주와 독일음식)

강남역 5번 출구로 나와 100m 지나
토니로마스 골목 안 지하
☎ 02-3481-8881 (종로점은 02-738-8881)

매장에서 직접 맛을 조절해 만든 하우스맥주.
와인만큼이나 심오한 독일의 맥주를 그대로
서울에서 맛볼 수 있는 곳. 독일식 소시지와 독일식
족발인 슈바이네 학센을 강력 추천.

32. 원주추어탕 (추어탕)

강남역 교보생명 사거리. 교보생명 건너편 골목 안
☎ 02-557-8647

민물생선, 특히 추어는 먹기를 꺼려하는 이들이 많다.
하지만, 고추장과 된장을 풀어 구수하게 끓인 원주식
추어탕은 너무나 대중적인 맛을 낸다.
전라도식이나 경상도식에 비해 비린 맛이 없는 게 특징.

33. 라싸부어 (프랑스요리)

서초구 서래마을 내 바이더웨이 골목으로 들어가
세븐일레븐 맞은편 골목
☎ 02-591-6713

오너쉐프가 운영하는 곳들은 쉐프의 특징이 담긴
특선요리들을 맛보는 재미가 있다. 덥수룩한 머리의
자유분방한 영혼을 가진 진경수 쉐프. 와인 한 잔
곁들여 긴긴 저녁식사를 즐기기에 좋은 곳.

34. 밀탑 (팥빙수)

압구정 현대백화점 5층 식당가
☎ 02-547-6800

알록달록 젤리와 색소시럽 따위를 싹 빼고 신선한
과일과 직접 통팥을 삶아 만든 단팥으로 맛을 내는
최고의 팥빙수. 딱 두 개씩 올라가는 찹쌀떡도
특별 주문해 만든다.

35. 개화옥 (와인과 묘한 한식)

압구정 갤러리아백화점 건너편 로데오 거리로
들어와 바로 첫 번째 왼쪽 골목
☎ 02-549-1459

압구정에서 '한식'을 먹으면서 '와인'을 마시기에 딱!
좋은 곳. 불고기며 보쌈, 순대 등을 와인에 기죽지
않도록 곱상하게 차려내준다. 자신의 와인을 들고가서
먹기에도 부담이 없는 곳.

36. 유끼노스시 (회전초밥)

압구정, 동호대교 남단 씨네플러스 맞은편 건물 2층
☎ 02-540-4888

유기농 쌀과 채소를 이용해 만드는 초밥들이 빙빙
돌아가는 곳. 특히 갈 때마다 새롭게 등장하는
창작롤과 명이나물초밥, 타다끼 초밥 등을 따로
주문해서 먹을 수 있다.

37. 첨벙 (아귀찜)

신사역 사거리 동양아트홀 골목 안

☎ 02-543-8873

그 유명한 신사동 아귀찜 골목에서 홀로 뚝 떨어져
있으면서도 유명해진 이유는 바로 중식조리기법을
응용한 중화식 불맛. 또한 옥수수전분과 찹쌀가루로
마무리를 해 아리게 맵지 않고 매콤한 맛을 낸다.

38. 오브(O' ve) (이탈리아요리)

성수대교에서 삼원가든 쪽으로 가다 폭스바겐 매장에서
우회전 후 바로 좌회전

☎ 02-518-5167~8

이태리식 도가니탕으로 맛대맛에 소개된 곳.
도가니의 젤라틴을 모아 토마토소스로 상큼한
맛을 낸 보양식으로 출연자들의 입맛을
사로잡았던 곳이다.

39. 앤치즈 (치즈요리와 와인)

압구정역 5번 출구로 나와 까사미아 골목으로 들어가
현대자동차서비스 있는 막다른 곳에서 좌회전
☎ 02-511-7712

앤치즈의 사장님 내외는 와인과 치즈에
'미친' 분들이다. 특히 치즈에 말이지. 식당 음식이
아닌 유럽의 가정에서 맛볼 수 있는 음식 맛이
인기비결. 이곳의 블루치즈소스 스테이크는 내겐
최고의 스테이크로 기억되는 맛이다.

40. 테이스티블루바드 (특별한 창작요리들)

관세청 사거리에서 성수대교쪽으로 가다가 LG패션 앞
골목으로 들어가 100m ☎ 02-6080-3332

두바이의 오성급 호텔의 한국인 총주방장인 세계적인
요리사 에드워드 권이 극찬한 솜씨. 팬카페까지
운영되고 있는 최현석 셰프의 놀라운 창작요리들.
갈 때마다 맛에 아이디어에 혀를 내두르게 된다.

41. 청담 安 (술과 안주)

청담동 로데오주유소 맞은편 한미은행 뒤편 골목
☎ 02-541-6381

넓고 화려한 실내 인테리어와 맛있는 안주로
유명한 곳. 특히 생과일즙으로 만든 과일소주는
브레이크를 걸지 못하고 마시게 된다. 한식,중식,일식
등 다양한 장르의 조리장들이 개발하는 음식들도 수준급.

42. 맛자랑 (콩국수)

대치동 은마아파트 북문 큰길 건너 새천년약국 골목 안
☎ 02-563-9646, 02-555-8389

비교대상이 없는 절대막강 콩국수. 진하다 못해
걸쭉한 크림스프 같은 콩국을 메밀이 살짝 들어간
면발에 부어낸다. 콩국수가 비리다는 잘못된
선입견을 가지고 있다면 꼭 한 번 맛보고 다시
생각해보시길. 고소함의 극치이다.

43. 그랑구스또 (이탈리아요리)

대치동 포스코사거리에서 대치사거리 지나 대로변
☎ 02-556-3960

고등어파스타와 생멸치파스타는 세계 최고라고
감히 말할 수 있는 곳. 맛지존님의 넉넉한 웃음이
그리워 자꾸만 배가 고파진다.

44. 인정원월남쌈 (월남쌈과 쌀국수)

둔촌역 1번 출구, 길동 사거리 쪽으로 500m
☎ 02-476-7077

국내에 처음으로 호주식 월남쌈을 선보인 집.
라이스페이퍼에 각종 생채소를 얹고 구운 삼겹살을
넣어 싸먹는다. 체인점이 여기저기 많이 생겼지만,
아무래도 본점에서 느낀 맛은 못 따라가더라.

45. 우야우야 (대패삼겹살)

고양시 일산 경찰서 사거리.
호수공원 쪽으로 가는 대로변 ☎ 031-929-5592

차돌박이처럼 얇게 썰어낸 삼겹살을 구워 콩나물무침,
부추무침, 김치 등을 싸먹는다. 철따라 다른 재료가
들어가는 된장찌개에 밥을 넣어 끓여주는
된장국밥도 일품.

46. 뚱보통고기 (굴국밥)

고양시 일산 복음병원에서 성석동 쪽으로 가다가
백마부대 신병교육대 가기 전
☎ 031-977-7552

원래 전공은 고기인 집인데 굴국밥이 워낙 맛있어서
굴국밥 전문점처럼 소문이 난 곳. 싱싱한 통영굴을
듬뿍 넣어 끓여주는 국밥과 반찬으로 나오는
세 가지 젓갈무침이 끝내준다.

47. 다오래골뱅이 (골뱅이무침)

고양시 일산 암센터 맞은편
☎ 031-907-0805

파채를 듬뿍 넣고 매콤새콤하게 무쳐낸 골뱅이무침.
채썰어 놓은 파를 사이다에 담가 아린 맛을 빼내서,
매운 맛이 강한 을지로식과 달리 적당히 알싸하고
편안한 맛을 낸다.

48. 잎새 (쌈밥)

고양시 일산 애니골 테마마을 내
☎ 031-904-3356

채반에 담아져 나오는 보리밥에 각종 나물을 넣고
비벼 푸짐한 쌈 채소에 싸먹는다. 특히 진한
멸치육수에 끓여낸 집 된장찌개가 구수하다.
멸치젓갈을 이용한 쌈장에도 도전해 볼 만하다.

49. 일산칼국수 (닭칼국수)

고양시 일산 애니골 테마마을 입구 GS 주유소 맞은편
☎ 031-903-2208

일산을 대표하는 향토음식이기도 한 닭칼국수.
노계를 푹 삶아 살만 따로 발라내고 그 국물에
바지락을 듬뿍 넣고 끓여 육수를 만든다. 1년 365일
언제나 줄을 서서 기다리는 일산의 초대박 맛집.

50. 장수마을 (누룽지닭백숙)

고양시 일산 애니골 테마마을 내
☎ 031-904-5533

기력이 딸릴 때면 생각나는 든든한 닭백숙. 접시에
닭 한 마리가 먼저 나오고 찹쌀을 넣어 쑨 닭죽이
항아리에 담겨 나온다. 닭죽 속에 들어있는 찹쌀
누룽지를 찾아 먹는 맛이 일품.

51. 뱅블루스 (와인바)

고양시 일산 호수공원 앞 코오롱레이크폴리스॥ 1층
☎ 031-924-9777

와인을 수입하는 회사에서 운영하는 작은 바. 소매로
구입할 수도 있다. 호수공원을 한 바퀴 돌고 집으로
가는 길에 들러 와인 한 잔을 마시는 곳. 특히, 사진을
찍으면 감각적으로 나오는 매장 분위기가 맘에 든다.

52. 야구장농원 (오리진흙구이와 오리탕)

고양시 일산 문봉동, 고양가구단지 1진입로로
들어가 군부대 지나 길가 ☎ 031-964-2884

진흙통에 넣어 가마에서 구워낸 오리는 껍질은
과자 같고 속살은 살살 녹는다. 특히 뱃속에 채워 넣은
찰밥과 각종 재료는 보기만 해도 힘이 불끈.
동치미와 직접 담근 오이지, 고추 장아찌가
입맛을 개운하게 돕는다.

53. 원당헌 (뼈해장국)

고양시 덕양구 원당 고양시청 앞에서 벽제로 가는 국도변
☎ 031-965-0721

허허벌판에 자리를 잡고 시작한 것이 이 일대를
해장국 동네로 바꿔놓은 대단한 파워의 맛집.
젓가락만 대도 흐물어질 정도로 부드러운 돼지등뼈살과
푹 삶아낸 우거지에 직접 담근 된장으로 맛을
내어 깊고 개운한 맛을 낸다.

54. 강씨네 동태전문점 (동태찌개)

고양시 일산 성석동 (전화로 확인!!)
☎ 031-948-5513

동태는 실온에서 서서히 해동시키고 멸치,다시마를
우려낸 육수에 고추장과 된장을 풀어 비린 맛을
잡아낸다. 여기에 동태를 넣고 끓여내는데 내장을
나중에 넣어 탱탱한 맛을 살리는 것이 이 집의 포인트.
구수한 국물맛 강추.

55. 안집 (육개장)

성남시 분당구 서현동 새마을연수원과
율동공원 쪽으로 가다가 왼쪽 먹자촌
☎ 031-701-9648 (www.anjib.co.kr)

Love Eat 본문에서 소개한 위대한 육개장의 주인공.
제주 한정식집이기 때문에 반찬 하나하나가 수준급의
맛을 내면서도 가격은 너무나 착한 것이 놀라울
따름. 특히 시래기지짐이가 예술이다. 맨밥에
이 집 장아찌만 있어도 부러울 것이 없겠는데
환상의 육개장까지!

56. 최고집함흥냉면 (비빔냉면, 김치만두)

성남시 분당구 뉴코아 백화점 건너편, 야탑우체국 뒤편
☎ 031-708-8787

쫄깃한 고구마전분 면발과 얼얼하게 매운 양념.
다른 함흥냉면과 달리 다양한 해물이 꾸미로 올라가
색다르다. 시큼하게 익은 김치가 듬뿍 들어간
김치만두도 쉽게 만날 수 없는 강렬한 맛.

57. 곰터먹촌 (김치말이국수)

포천 베어스타운에서 47번 국도를 타고 서울
방향으로 오다 보면 오른쪽에 위치
☎ 031-534-0732/7931

한 번 먹고 나면 중독되고 마는 최고의 국수.
고기육수와 김치국물을 적당한 비율로 섞어 삶은 소면
을 말아낸다. 으깬 생두부와 총총 썰은 김치가 꾸미로
올라가 푸짐하고 진한 맛을 낸다.

58. 개성집 (오이소박이 냉국수)

남양주 조안면 송촌리 진중삼거리에서
서울종합촬영소로 가다 왼쪽
☎ 031-576-6497

허름한 가게. 신뢰가 안가는 간판. 하지만 맛은
예술! 시원하기가 하늘을 찌르는 오이소박이 냉국수는
오이소박이를 물김치로 담가 거기에 소면을
삶아낸다. 배추소를 넣은 깔끔한 개성만두도 굿.

59. 당너머 (제대로 한우)

양평군 양평읍 오빈리. (전화 혹은 홈페이지 이용!)
☎ 031-772-7723 (www.dangnermer.co.kr)

진짜배기 우리 한우의 맛이 어떤 것인지 궁금하다면
양평으로 달려가시라. 친환경농법으로 한우를
키우는 믿음직한 이현복 사장님의 정직한 가게.
정말 좋은 한우에는 딱 세 가지만 있으면 된다.
불, 소금, 그리고 돈.

60. 충남서산꽃게탕 (꽃게탕)

김포시에서 강화 방면으로 가다가 양곡 우회도로
사거리에서 우회전. 우회전해서 2.2km 가다가
기업은행에서 우회전
☎ 031-989-6835

대기업 회장님들이 불쑥불쑥 찾는 곳이라는 말에
솔깃해서 찾아간 곳. 실한 꽃게와 단호박을 넣어
끓인 꽃게탕 국물의 달큰한 뒷맛이 인상적.

61. 목포군산횟집 (삼세기탕)

강화 초지대교 가기 직전 대명포구 내 위치

☎ 031-989-2484

못생겨도 맛은 좋은 아귀, 곰치 그리고 삼세기.
너덜너덜 흉하게도 생긴 이 생선이 얼마나
깊은 내공을 가졌는지를 확인해보시길.
머리가 전체의 반을 차지하는 덕에 끓이면 끓일수록
깊은 맛이 난다. 어두일미의 진수.

62. 돌기와집 (붕어찜, 메기매운탕)

강화도 송해면 숭뢰저수지 입구, 자연사박물관
방향으로 가다 이정표 따라 진입

☎ 032-934-5482

Love Eat 본문에 등장하는 붕어찜 맛집.
강화에서 잡은 붕어를 압력솥에 3시간 이상 쪄내는데
뼈는 파이처럼 부드러워지고도 모양은 전혀
흐트러지지가 않는 게 신기하다. 붕어찜에
곁들여지는 우거지와 짠지가 예술.

63. 비빔국수 (비빔국수와 잔치국수)

강화읍 옛날 버스터미널,
현 신한은행 끼고 들어가 골목 안에 위치
☎ 032-933-7337

진달래꽃 명소인 고려산 등산갈 때마다 반드시
한 그릇씩 먹어주는 비빔국수. 새콤을 넘어
시큼하기까지 한 김치에 참기름, 김가루를 넣어 비벼준다.
소박한 옛날 맛이 그대로 살아있는 촌스러움의 미덕.

64. 신포닭강정 (닭강정)

동인천역 근처 신포시장 내 위치
☎ 032-762-5800

생닭을 먹기 좋은 크기로 잘라 튀긴 후 물엿,
매운 고추, 땅콩을 넣어 만든 소스에 버무려낸다.
양념통닭과 닭꼬치의 중간 정도 느낌이랄까?
원초적인 의미로 정말 맛있다.

65. 경인면옥 (평양물냉면)

동인천역을 등지고 큰 언덕길 따라 올라오면
첫 번째 신호등에서 우회전. '신포동 문화의 거리' 아치
보이고, 직진하지 말고 우측으로 올라가는 길
☎ 032-762-5770

1947년 문을 열어 3대째 이어져 오고 있는 평양냉면집.
평양냉면은 특히 세대가 넘어가면 맛이
달라지기 일쑤인데 그중 옛날 맛을 잘 유지하고
있다는 평을 듣고 있는 곳이다. 맑은 약수 같은
육수가 아주 놀라운 맛을 낸다.

66. 일송정 (이천쌀밥과 불고기)

서이천 IC 이천방향 이천 복화교 사거리 철성모가방면
383번국도 ☎ 031-633-5704

맨밥만 먹어도 맛있는 이천쌀밥에 배즙을 갈아
만든 불고기. 손맛이 좋아 함께 나오는 반찬들이 다
훌륭하지만 특히 직접 담근 조개젓은 밥도둑. 뜨거운
밥 위에 통통한 조개젓만 올려 먹어도 행복해진다.

67. 바우하우스 (안심스테이크, 파스타)

영동고속도로 북강릉 IC 나와 우회전, 강릉아산병원
가기 전 사천농협주유소 옆 산불방지 홍보관 입구에 위치
☎ 033-641-0322

영동고속도로 끝자락에 숨은 보석 같은 곳. 너무나
아기자기하게 꾸며놓은 인테리어와 인상 좋은
김일기 쉐프가 기다리고 있다. 미리 전화 예약을 하면
훨씬 여유 있는 맛을 즐길 수 있는 비밀스런 곳.

68. 함흥냉면옥 (명태회냉면)

속초시내 중앙시장 들어가는 입구 맞은편
롯데리아 뒤쪽 ☎ 033-633-2256

간재미가 아닌 명태로 회무침을 만들어 가늘고 질깃한
함흥냉면 면발 위에 얹어낸다. 명태살의 담백하면서도
달큰한 맛과 매콤새콤한 양념이 어우러져서 꼬돌꼬돌
씹히는 게 부담스러웠던 회냉면의 수준을 한껏 업그레이드.

69. 진미동치미메밀막국수 (동치미막국수)

속초시내 이마트 앞에서 청초대교 방향으로
약 100미터 직진 ☎ 033-638-5955

진짜 제대로 담근 동치미국물에는 아무 양념이
필요 없다. 메밀면에 동치미국물만 부어 맛대맛에서
9:0으로 이겼던 내공의 집. 동치미 맛 내기가 얼마나
어려운지를 안다면 절대 만만히 볼 수 없을 맛이다.

70. 88생선구이전문점 (생선구이)

속초 중앙동 항구 근처. 갯배 타는 곳 부근
☎ 033-633-8892

철따라 맛보는 별별 생선들의 신랄한 속살 맛.
연탄불 위에 구워먹는 생선의 원초적인 맛의 감동.
갈 때마다 나오는 생선의 종류가 달라져서 더 즐겁다.

71. 원조중앙닭갈비 (닭갈비)

춘천시 조양동 명동 닭갈비 골목 안에 위치

☎ 033-253-4444

수많은 춘천 닭갈비집 중에 하필 이 집인 이유가 있다.
양배추며 깻잎이며 채소에 숨어있는 닭고기
찾기가 아닌 푸짐한 닭고기와 특제 양념이 제대로
어우러진 원조 닭갈비만의 파워.

72. 송이버섯마을 (송이버섯)

양양군 양양읍 월리, 양양군청에서 강릉방면으로
가는 길 남대천 건너서 왼쪽

☎ 033-672-3145

강원도의 송이는 향이 아주 진하다. 송이는 사실
생것을 그냥 쭉쭉 찢어 입에 넣고 오물오물 씹어
향을 즐기는 것이 최고. 요리보다는 믿을 수 있는
송이를 구입하기 위해 찾는 곳.

73. 돼지네집 (굴구이)

천북 장은리, 천북면사무소 지나 천북굴구이 단지 내 위치
☎ 041-641-9589

굴구이는 사실 다른 손맛이 필요 없다. 싱싱한 생굴을
구워 초장에 찍어 먹으면 끝이니. 돼지네집은
인심좋은 사장님 때문에 단골이 된 곳. 동치미 국물에
말아나오는 굴물회 솜씨도 뛰어나다.

74. 송정꽃게집 (꽃게쌈장)

태안군 안면읍 원청삼거리에서 방포사거리 방향으로
☎ 041-673-2666

싱싱한 꽃게의 살만 발라 매콤한 양념을 더해 쌈을
싸먹도록 했는데, 양념게장의 살만 쏙쏙 짜놓은 것
같은 맛을 낸다. 게장은 맛있지만 먹기가 영
번거롭다면 바로 이 꽃게 쌈장이 대안이다.

75. 전복대가 (전복밥)

대전시청 동문과 목련 APT 102동 사이 우리은행과
상호저축은행 사잇길 150m 직진 2층
☎ 042-485-6116

맛대맛 MC 류시원이 뽑은 베스트 3 중에 하나였던
음식. 전복의 내장을 갈아 그 엑기스로 밥물을
잡아 지어낸다. 전복죽의 밥 버전이랄까? 한번 맛보면
숟가락을 놓을 수 없는 대단한 밥이다.

76. 산수파김치 (장어파김치쌈)

서해안고속도로 해미 IC로 나와 덕산 수덕사 방향으로
1km 지점 ☎ 041-688-2231

어떻게 이런 음식을 생각해 냈을까? 시큼하게 익은
파김치를 얹어 한번 구워낸 민물장어를 졸여낸다.
장어를 파김치로 돌돌 말아 싸 먹으면 장어 특유의
느끼한 맛이 완전히 사라진 우리식 장어 보양식.

77. 곰소쉼터 (젓갈정식)

서해안고속도로 줄포 IC로 나와 줄포농공단지,
곰소로 직진해 곰소염전 건너편 ☎ 063-584-8007

곰소의 천일염으로 만든 아홉 가지 젓갈과
반찬들이 나온다. 정말 젓갈만 가지고도
밥 두 공기는 먹을 수 있을 정도. 많이 짜지 않고
감칠맛을 내는 젓갈은 진정한 밥도둑.

78. 가족회관 (비빔밥)

전주 중앙동 전주우체국사거리 기업은행 맞은편
☎ 063-284-0982

전주비빔밥이야 이미 세계적인 음식. 본고장에 가면
유명한 맛집이 몇 군데 있다. 그중에서도 특히
현지인들 사이에 이름이 높은 곳이 가족회관.
반찬마다 생밤을 실처럼 채썰어 고명으로
올린 걸 보면 감탄이 절로 나온다.

79. 영미오리탕 (오리탕)

광주역 근처 현대백화점 옆 오리탕 골목 안에 위치
☎ 062-527-0248

광주의 오리탕은 아주 놀랍다. 비교대상이 전혀 없는
색다른 음식. 들깨물로 끓여내 껄쭉한 국물은 보기만
해도 힘이 나고 젓가락만 대도 흐물어질 정도로
부드럽게 삶아낸 오리는 먹어도 먹어도 물리지가 않는다.

80. 할매집화랑식당 (육회비빔밥)

함평 우시장 옆 식당골목 내
☎ 061-323-6677

함평의 쫀득쫀득한 생고기와 삭히지 않은 날비빔장,
진한 향의 참기름으로 쓱쓱 비며내어 육회의 맛이
살아있는 비빔밥. 특히 함께 나오는 선짓국은
맑은 고깃국에 부드럽게 익힌 선지를 띄워내는데
개운한 맛이 일품.

81. 법성포007식당 (굴비구이정식)

영광 법성포 입구 대로변

☎ 061-356-2216

굴비 한 마리로 밥 두 공기는 뚝딱. 간이 딱 맞고
살이 푸짐한 굴비는 역시 영광 법성포에서 먹어야
제 맛이다. 조금 욕심을 내어 굴비장아찌까지
곁들이면 지갑이 위험해진다.

82. 남평식당 (곰탕)

나주시청을 바라보고 정문 왼쪽 골목 입구,
나주시장 내 두 곳에 위치. ☎ 061-334-4682

단 돈 육천원에 고기 반 국물 반의 곰탕을 맛볼 수
있다니! 그렇다고 고기질이 떨어지는 것도 아니고,
국물이 싱거운 것도 아니다. 밥 한 공기 꾹꾹 말아
묵은지랑 뚝딱 먹으면 나주 사람들이 부러워진다.

83. 승달가든 (한우구이와 샤브샤브)

무안군 무안읍 성내리 무안 초등학교 앞
☎ 061-454-3400

무안의 명물 세 가지 한우, 양파, 낙지, 모두 맛볼 수가
있다. 질 좋은 한우를 구워 양파김치를 곁들여 먹고,
한우와 낙지를 함께 요리한 소낙 샤브샤브가 있다.
고기 맛이 워낙 좋으니 어떻게 먹어도 좋다.

84. 독천낙지골 (갈낙탕)

영암군 학산면 독천리 독천낙지마을 안에 위치
☎ 061-472-4115

낙지가 갈비탕에 빠지면 국물에 마법이 걸린다.
한우갈비를 푹 고아낸 갈비탕에 손님상에 내기 직전
산낙지 한 마리를 넣어 나온다. 신기하게도 갈비탕의
느끼한 기름기가 싹 사라지니 놀라울 따름.

85. 동산회관 (굴죽과 회)

해남군 송기면 송호리 해남 땅끝마을 안
☎ 061-532-3004

갯벌에서 자라는 잘디 잔 자연산 굴로 끓여낸 굴죽.
배 채썬 것과 녹두가 들어가는 것이 색다르다.
굴 철이 아니어도 각종 제철 해산물을 맛볼 수 있고
특히 씻은 묵은지에 싸 먹는 회 맛이 일품.

86. 동샘전복 (전복정식)

해남군 해남읍 해리 해남교육청 정문 앞
☎ 061-535-5787

전복으로 상다리가 휘어진다. 전복죽부터 전복회, 전
복구이, 전복볶음, 전복찜, 전복튀김… 상상할 수 있는
모든 전복요리가 한상에 나온다.

87. 원조굴구이횟집 (굴찜)

여수 화양면 안포리 원포

☎ 061-686-2816

청정바다 여수에서 굴을 양식하는 사장님이 직접
운영하는 식당. 말이 구이지 커다란 찜솥에 쪄가며
그 자리에서 먹는 것이다. 직접 담근 조선간장으로
맛을 낸 굴죽도 맛있다.

88. 윤선장네 대게 (대게찜)

영덕 강구항으로 들어와 대게맛집거리에서 '대게촌'
옆길로 들어와 좌측 ☎ 054-734-6770

무엇으로도 대신할 수 없는 기품 있는 맛, 영덕대게.
믿을 수 있는 영덕진품대게를 저렴한 가격으로 맛볼
수 있는 곳. 전문식당이 아닌 도매전문점이라
도매가로 먹을 수 있고 택배도 가능.

89. 자갈치시장 (회와 꼼장어)

부산 자갈치시장 안, 부둣가까지 쭉 들어와 위치

자갈치시장 안에서 먹는 회는 자갈치식 특유의 쌈장
덕분에 맛이 남다르다. 회 타운 옆쪽으로 쭉 늘어서
있는 꼼장어 포장마차도 빼놓을 수 없는 맛 풍물.

90. 남천할매떡볶이 (떡볶이)

부산 남천동 해변시장 맞은편 제일청과 옆

☎ 051-625-4163

꽃게와 다시마를 넣고 끓여낸 어묵탕 국물로 만든 떡볶이. 쌀로 만든 굵은 가래떡으로 만들어 놀라운 맛을 낸다. 양배추를 채썰어 얹어 주는 것도 색다름.

91. 이풍녀구로쌈밥 (쌈밥)

경주시 첨성대 입구 쌈밥거리

☎ 054-749-0600

경주에서 가장 유명한 맛집 중 하나가 된 전라도 사장님의 쌈밥 한상. 다양한 젓갈을 쌈장 대신 넣어 싸먹기도 하고, 각종 장아찌와 된장찌개도 맛있다. 조미료 대신 들깨가루로 감칠맛을 더하는 것이 비법.

92. 황남빵 (팥빵)

경주시 (구)경주시청 맞은편, 천마총 대각선 방향
☎ 054-749-7000

바로 구워낸 뜨거운 팥빵의 달콤한 유희. 달걀을 많이
넣어 아주 얇게 밀어낸 과자 속에 물리지 않게 달콤한
팥소를 듬뿍 넣어 구워낸 명물.

93. 여원식당 (멸치조림쌈밥)

남해군 삼동면 지족 지족다리 입구 비취장모텔건물 1층
☎ 055-867-4118

죽방렴 멸치로 유명한 남해의 통통한 생멸치로 조림을
만들어서 상추에 싸먹는 색다르고 특별한 음식.
멸치의 살만 발라내서 먹을 수 있다는 사실을 믿기
힘들겠지만 남해에서는 가능한 맛이다.

94. 백만석 (멍게비빔밥)

거제시 거제시청 100m 아래 거제공설운동장 입구
☎ 055-637-6660

향긋함이 최고조에 이르는 제철 멍게를 소금으로 맛을
내 냉동시켜 놓았다가 뜨거운 밥에 넣고
참기름, 깨소금 등을 넣어 비벼먹는다.
싱싱한 제철생선으로 맑게 끓여낸 탕이
곁들여져서 금상첨화.

95. 천짓골식당 (돔베고기, 제주흑돼지)

서귀포시 초원사거리 천지동사무소 옆
☎ 064-763-0399

돼지고기를 좋아한다면 죽기 전에 꼭 한 번은
먹어봐야 할 맛. 감칠맛이 뛰어난 제주토종돼지를
먹기 직전에 삶아내 도마째 들고 나와 잘라준다.
소금에 찍어먹고, 묵은지에 싸먹고, 멸치젓갈을 곁들여
먹고…. 추자도 멸치를 넣고 끓여낸 시골된장찌개도
눈물이 날 만큼 맛있다.

96. 우도에서 (객주리조림)

제주시 삼도동 서사라 사거리에 있는 대도사우나 옆
☎ 064-722-7767

객주리는 쥐포를 만드는 쥐치를 말한다. 기름기 없이
진한 맛을 내는 객주리를 칼칼한 양념에 졸여낸다.
제주도 현지주민들이 더 많이 찾는 맛집.

97. 신설오름 (고기국수, 몸국)

제주시 일도2동 서해아파트 단지 들어가는 입구
☎ 064-758-0143

제주도에서만 맛볼 수 있는 특별한 음식, 고기국수와
몸국. 돼지고기 뼈를 삶아낸 육수에 소면을 말아내고
수육을 곁들인 고기국수와 모자반이라는 해초를 넣고
끓여낸 몸국은 해장에도 아주 훌륭하다.

98. 광치기해산물촌 (성게알 칼국수)

남제주군 고성리와 성산리 중간지점 해안도로변
☎ 011-9660-3884/011-697-3732/
019-694-2665/019-755-2826

광치기는 성산일출봉이 건너다보이는 해안가
이름이다. 마을 부녀회에서 운영하는 해산물촌.
앞바다에서 바로 건진 뿔소라, 전복, 해삼과 성게알을
듬뿍 넣어 끓여낸 칼국수를 맛볼 수 있다.
경치가 음식 맛을 백배 돋운다.

99. 오조해녀의 집 (전복죽)

서귀포시 성산읍 오조리 성산일출봉 입구
☎ 064-784-0893

제주 전복죽의 대명사격인 곳.
워낙 유명한 곳이지만 그 덕에 오히려 편안하게 전복
죽을 먹을 수 있다. 내장을 듬뿍 풀어 넣어 노란빛을
내는 전복죽에는 커다란 전복살도 듬뿍 들어있다.

100. 당신과 함께 먹는 무엇. 어디라도…

• Index •

21. 부산집 (꼼장어)

22. 사이공힐 (베트남음식)

23. 불란서 (프랑스요리)

24. 천하 (이자카야)

25. 한양곰치국 (곰치국과 과메기)

26. 함흥냉면 (냉면과 만두)

27. 대추나무집 (칼국수)

28. 문래동 원조마늘통닭 (마늘통닭과 닭똥집볶음)

29. 피자알볼로 (수타피자)

30. 춘천옥 (보쌈과 막국수)

31. 옥토버페스트 (하우스맥주와 독일음식)

32. 원주추어탕 (추어탕)

33. 라싸부어 (프랑스요리)

34. 밀탑 (팥빙수)

35. 개화옥 (와인과 묘한 한식)

36. 유끼노스시 (회전초밥)

37. 첨벙 (아귀찜)

38. 오브(O've) (이탈리아요리)

39. 앤치즈 (치즈요리와 와인)

40. 테이스티블루바드 (특별한 창작요리들)

41. 청담 安 (술과 안주)

42. 맛자랑 (콩국수)

43. 그랑구스또 (이탈리아요리)

44. 인정원월남쌈 (월남쌈과 쌀국수)

45. 우야우야 (대패삼겹살)

46. 뚱보통고기 (굴국밥)

47. 다오래골뱅이 (골뱅이무침)

48. 잎새 (쌈밥)

49. 일산칼국수 (닭칼국수)

50. 장수마을 (누룽지닭백숙)

51. 뱅블루스 (와인바)

52. 야구장농원 (오리진흙구이와 오리탕)

53. 원당헌 (뼈해장국)

54. 강씨네 동태전문점 (동태찌개)

55. 안집 (육개장)

56. 최고집함흥냉면 (비빔냉면, 김치만두)

57. 곰터먹촌 (김치말이국수)

58. 개성집 (오이소박이 냉국수)

59. 당너머 (제대로 한우)

60. 충남서산꽃게탕 (꽃게탕)

61. 목포군산횟집 (삼세기탕)

62. 돌기와집 (붕어찜, 메기매운탕)

63. 비빔국수 (비빔국수와 잔치국수)

64. 신포닭강정 (닭강정)

65. 경인면옥 (평양물냉면)

66. 일송정 (이천쌀밥과 불고기)

Memo

Memo

Memo